Ysgo

Y BLAS SY'

Alexander McCall Smith

Y BLAS SY'N CYFRI

addasiad

ALWENA WILLIAMS

Darluniau gan Laszlo Acs

Gwasg Gomer
1983

Argraffiad Cymraeg cyntaf—Mehefin 1983
Ail Argraffiad—Gorffennaf 1995
Cyhoeddwyd gyntaf ym Mhrydain gan Hamish
Hamilton Ltd., 1982

Teitl gwreiddiol *The Perfect Hamburger*

©y stori: Alexander McCall Smith

©y darluniau: Laszlo Acs

ISBN 0 85088 819 0

Cyhoeddwyd dan gynllun comisiynu'r
Cyngor Llyfrau Cymraeg.

Dymuna'r cyhoeddwyr gydnabod cymorth a chyfar-
wyddyd Adrannau'r Cyngor Llyfrau Cymraeg a
noddir gan Gyngor Celfyddydau Cymru.

Argraffwyd gan J. D. Lewis a'i Feibion Cyf.,
Gwasg Gomer, Llandysul, Dyfed.

PENNOD 1

Roedd Siôn yn hoff iawn o ham-
byrgyrs. Roedd o'n hoffi rhai efo dwy
dafell o nionyn ynddyn nhw. Roedd
o'n hoffi clamp o hambyrgyr efo
mymryn o sôs coch, y math y med-
rwch chi gladdu'ch dannedd ynddi a
chael cegaid iawn, hyd yn oed os bydd
y sudd yn llifo i lawr eich gên fel ffos.
A dweud y gwir, roedd Siôn y tu hwnt
o hoff o hambyrgyrs o bob math.

Yn y dref lle roedd o'n byw dim ond
un tŷ bwyta oedd yn gwneud ham-
byrgyrs. Tref go fach oedd hi a doedd
neb yn credu fod angen lle arall o'r
fath chwaith. Hen ŵr o'r enw Mr.
Watcyn oedd biau'r tŷ bwyta hwn ac
roedd o wedi bod yn gwneud ham-
byrgyrs ers blynyddoedd maith.

Er bod pawb yn hoffi Mr. Watcyn, y
gwir amdani oedd fod y lle yn mynd
â'i ben iddo. Doedd gan Mr. Watcyn
mo'r offer hwylus sydd mewn tai

bwyta modern ac felly roedd hi'n cymryd cryn dipyn o amser iddo baratoi'r bwyd. Roedd hi'n hen bryd iddo fo brynu stolion newydd hefyd gan fod yr hen rai yn edrych yn bur flêr. A bod yn onest, roedd angen côt o baent ar y lle i gyd.

Fe wyddai Siôn nad oedd pethau'n mynd yn rhy dda yn nhŷ bwyta Mr. Watcyn. Roedd llai a llai o bobl yn mynd yno i brynu hambyrgyrs, a gweld bai a chwyno a wnâi'r cwsmeriaid.

'Dwn i ddim be' sy wedi digwydd i'r lle, wir,' meddai rhywun. 'Roedd o'n arfer bod yn lle mor dda ond rŵan . . .'

'Rydych chi'n hollol iawn,' meddai rhywun arall. 'Mi gefais i hambyrgyr yno y diwrnod o'r blaen ac roedd hi'n oer ac yn wydn.'

Wrth glywed siarad fel hyn fe deimlai Siôn yn bryderus. Am ei fod o mor hoff o Mr. Watcyn roedd yn gofidio y byddai'r hen ddyn yn colli busnes. Os na wnâi Mr. Watcyn rywbeth

i wella pethau yn o fuan, ni fyddai
ganddo yr un cwsmer ar ôl. A phetai
rhywun arall yn agor lle hambyrgyrs
yn y dref, wel, mi fyddai wedi darfod
arno fo.

Dyna'n union a ddigwyddodd. Ryw ddiwrnod, gwelodd Siôn arwydd mawr yn cael ei godi ar lain o dir yn ymyl y dref. Dyma'r geiriau arno:

YMA Y CODIR
TŶ BWYTA NEWYDD
HAMBYRGYRS HUWS

Teimlai Siôn yn brudd. Roedd Cwmni Hambyrgyrs Huws yn fusnes enfawr a chanddo dai bwyta ar hyd a lled y wlad. Roedd pob un o'i dai bwyta yn helaeth a glân efo cownteri plastig gwyn a phob gweithiwr yn gwisgo dillad smart. Dim ond dau funud a gymerai iddyn nhw baratoi hambyrgyrs a'r rheini wedyn, yn ôl pob sôn, yn rhai hynod o dda.

Ymhen ychydig ddyddiau, roedd yr adeiladwyr wedi dechrau ar y gwaith o godi'r tŷ bwyta newydd. Gwyliai Siôn nhw wrthi'n gosod y sylfeini, ac yna'n tywallt concrit gwlyb i fowld-iau er mwyn gwneud pileri. Yn ôl pob golwg, fe fyddai'r adeilad yn barod ymhen pythefnos. Dim ond eisiau ei

beintio fyddai wedyn a gosod yr offer
a'r dodrefn yn eu lle. A dyna Ham-
byrgyrs Huws yn barod i herio Mr.
Watcyn.

Y noson honno, aeth Siôn ar ei feic i
weld Mr. Watcyn. Eisteddodd ar un
o'r hen stolion o flaen y cownter.
Doedd neb arall ar gyfyl y lle. Siôn
oedd yr unig gwsmer. Tra oedd Mr.

Watcyn yn paratoi hambyrgyr, gofyn-
nodd Siôn iddo sut roedd o'n teimlo
ynghylch y lle newydd.

'Rydw i wedi clywed am y lle,'
meddai Mr. Watcyn. 'Mwy na thebyg
mai yno y bydd pawb yn mynd o hyn
ymlaen.'

'Ond be wnewch *chi*?' holodd Siôn.
'Fyddwch chi'n gorfod cau am byth?'

'Rydw i'n gobeithio na ddaw hi
ddim i hynny,' atebodd Mr. Watcyn,
gan daro'r hambyrgyr ar blât. 'Does
gen i ddim byd arall i'w wneud,
wel'di, nac unman arall i fynd iddo.'

PENNOD 2

Fis union yn ddiweddarach agorwyd drysau'r lle newydd. Roedd yno dipyn o sbloet ar y diwrnod agoriadol. Er mwyn denu pobl fe hysbyswyd yn y papur newydd fod modd prynu hambyrgyrs am hanner pris y diwrnod hwnnw.

Wrth gwrs, roedd hyn yn ddigon i beri i bobl heidio tuag yno. Amser cinio roedd cynffon hir o bobl yn ymestyn o'r tŷ bwyta ar hyd darn go lew o'r stryd. Ac wedyn, gyda'r nos, roedd y lle'n orlawn o gwsmeriaid bodlon.

Maer y dref oedd yr un a wahoddwyd i agor y lle newydd yn swyddogol. Wedi anerchiad byr, fe gymerodd y maer siswrn i dorri'r tâp gwyn a oedd wedi'i osod ar draws y fynedfa. Roedd yna hambyrgyr anferth yn barod iddo ar y cownter wedyn. Sôn am firi a llond gwlad o

ffotograffwyr wrthi'n tynnu lluniau
ar gyfer y papurau drannoeth.

Cytunai pawb fod y lle newydd yn
ardderchog. Roedd teils du a gwyn ar
y llawr, cownter hir mewn plastig
gwyn a chegin yn sgleinio gan offer
newydd sbon. Wrth i chi aros am eich
bwyd fe allech chi weld yr ham-

byrgyrs yn ffrio mewn padelli gloyw. Ac wedyn, ar ôl i chi gael eich hambyrgyr, roedd yna boteli yn cynnwys sôs o wahanol liwiau ar ryw declyn crwn a hwnnw'n troi gan adael i chi ddewis unrhyw un a fynnech.

Aeth Siôn yno gan ei fod yn ysu am weld sut le oedd o. Roedd yn rhaid iddo gyfaddef fod yr hambyrgyr a gafodd yn flasus tu hwnt. Roedd hi'n bur amlwg fod pawb arall yn credu hynny hefyd. Wrth iddo gerdded allan fe glywodd rywun yn dweud wrth ffrind,

'Dim ond ffŵl fyddai'n dal i fynd i le'r hen Watcyn rŵan.'

Roedd Siôn wedi dyfalu'n gywir fod pethau'n edrych yn o ddu ar Mr. Watcyn druan. Erbyn hyn, roedd llai fyth o bobl yn mynd i'w dŷ bwyta. Gyda'r nos, fe allech weld Mr. Watcyn yn eistedd y tu ôl i'r cownter o dan olau gwan y lamp yn disgwyl i rywun ddod i brynu hambyrgyr. Ond doedd neb yn dod.

Daliai Siôn i fynd yno'n gyson, ac fe fyddai Mr. Watcyn mor falch o'i weld nes cymryd mwy o drafferth nag arfer wrth wneud hambyrgyr iddo. Yna, ar ôl bwyta, fe fyddent ill dau yn sgwrsio am hyn a'r llall ac arall.

Ryw fin nos, fe ddywedodd Mr. Watcyn wrth Siôn,

'Pam na ddoi di drwodd i'r gegin a gwneud dy hambyrgyr dy hun? Fydd dim rhaid i ti dalu amdani chwaith.'

Roedd Siôn wrth ei fodd.

'Mi fyddai hynny'n goblyn o hwyl,' meddai. A dyna fo'n mynd i'r gegin.

'Rŵan 'te,' meddai Mr. Watcyn, 'mi ddangosa i i ti sut i wneud ham-byrgyr.' Eglurodd Mr. Watcyn wrtho beth i'w wneud a dangos iddo ym-hle roedd gwahanol bethau'n cael eu cadw. Yna, gadael llonydd iddo.

Cymysgodd Siôn y cig efo nionod wedi'u malu'n fân gan wneud math o deisen gron, fflat. Yna, rhoddodd

honno ar badell a'i throi drosodd
wedi i'r ochr isaf goginio digon.
Estynnodd Mr. Watcyn fynsen fara,
ei hollti'n ddau ddarn a dodi'r rhain
ar blât. Synnodd Siôn yn arw ei fod
wedi llwyddo i wneud hambyrgyr
mor flasus. Bwytaodd hi'n awchus.

'Rydw i wedi gwneud un,' gwaedd-odd. 'Rydw i wedi gwneud ham-byrgyr go iawn!'

Gwenodd Mr. Watcyn yn glên.

'Da iawn, 'machgen i,' meddai. 'A rŵan, mi gei di wneud un i minnau.'

Âi Siôn i dŷ bwyta Mr. Watcyn ddwywaith neu dair bob wythnos a chael gwneud ei hambyrgyr ei hun bob tro. Prin iawn oedd y cwsmer-iaid—dim ond rhywun yn digwydd mynd trwy'r dref ambell dro. Yna, ryw fin nos, ar ôl i Siôn wneud hambyrgyr iddo'i hun ac un i Mr. Watcyn, dyna'r hen ŵr yn sibrwd,

'Edrych! Cwsmer.'

Aeth Siôn i sbecian a gwelodd ddyn yn camu allan o gar ac yn cerdded at y drws. Dyn mawr tew oedd o yn gwisgo siwt olau ac yn cario cês bychan yn ei law. Roedd Siôn yn tybio ei fod wedi'i weld yn rhywle o'r blaen, ond ni allai gofio ymhle.

Aeth Mr. Watcyn at y cownter i ofyn beth a hoffai'r dieithryn, ond fe

ddywedodd y dyn nad oedd arno eisiau dim byd i'w fwyta.

'Wedi dod i siarad busnes rydw i,' meddai'n swta.

Clustfeiniodd Siôn er mwyn clywed y sgwrs, ond roedd y dyn yn siarad yn rhy ddistaw. Yna, cofiodd ymhle roedd o wedi'i weld o'r blaen: hwn oedd rheolwr tŷ bwyta Hambyrgyrs Huws a chofiodd Siôn am y lluniau

ohono yn y papur newydd. Clywodd
Siôn y drws yn cau a daeth Mr.
Watcyn yn ôl i'r gegin ac eistedd.

'Wel, wel!' meddai dan sychu ei
dalcen. 'Sôn am haerllug!'

Cogiodd Siôn ei fod heb glywed gair
o'r sgwrs er mwyn cael yr hanes i gyd
gan Mr. Watcyn.

'Maen nhw eisiau i mi werthu
popeth iddyn nhw,' meddai'r hen ŵr.
'Maen nhw am i mi fyw ar fy mhen-
siwn. A hyn i gyd am fod arnyn nhw
eisiau cael eu dwylo ar y lle yma, ei
wneud o'n grand ac yna codi crocbris
ar bawb!'

'Ydych chi am werthu?' gofynnodd
Siôn.

'I'r criw yna? Na wnaf!' meddai Mr.
Watcyn â'i wyneb yn fflamgoch.

PENNOD 3

Rai dyddiau wedyn, pan aeth Siôn i dŷ Mr. Watcyn, fe benderfynodd wneud hambyrgyrs arbennig iawn er mwyn codi calon yr hen ŵr. Felly, dyna fynd ati i chwilota yn y gegin ymhlith rhyw hen duniau am rywbeth i roi rhagor o flas ar y cig.

Roedd yno dri hen dun yn cynnwys llysiau blas a sbeisys. Yn ôl eu golwg, doedd neb wedi agor y tuniau ers blynyddoedd. Aroglodd eu cynnwys i sicrhau eu bod nhw'n iawn. Gan gymryd pinsiad o un a llwyaid o un arall, fe gymysgodd Siôn y llysiau blas a'r sbeis efo'r cig eidion a'r nionod. Yna, rhoddodd ddwy deisen gig ar badell ar y stôf a'u gwylio'n ffrio.

Pan oedden nhw'n barod, estynnodd Siôn hambyrgyr Mr. Watcyn iddo ar blât a chymryd y llall ei hun.

Ar ôl i'r ddau gnoi tamaid, dyna nhw'n edrych ar ei gilydd.

'Siôn!' meddai Mr. Watcyn a'i geg yn llawn o hambyrgyr. 'Siôn! Beth wyt ti wedi'i wneud?'

Beth yn wir? Wrth gnoi'r ail damaid sylweddolodd Siôn fod yr hambyrgyr hon â blas hollol wahanol i bob hambyrgyr a gawsai o'r blaen.

Roedd arni flas mor hyfryd ac aroglau mor gyffrous nes ei bod yn bechod ei bwyta. Eto i gyd, roedd pob tamaid yn ei ddenu i fwyta rhagor. Buan y diflannodd y ddwy hambyrgyr.

'Honna,' meddai Mr. Watcyn, 'oedd yr hambyrgyr orau a gefais i erioed.' Roedd clywed canmoliaeth fel yna gan arbenigwr yn profi i Siôn fod y blas cystal ag yr oedd yn tybio. Cofio'n union sut roedd o wedi'u gwneud nhw oedd y gamp rŵan. Fe wyddai ei fod wedi cymryd llysiau blas a sbeisys o dri thun, ond tybed a allai gofio pa faint o bob un?

Cododd Mr. Watcyn gaead un o'r tuniau a'i ddal wrth ei drwyn.

'Rydw i'n meddwl i ti roi llwyaid o hwn,' meddai.

Doedd Siôn ddim mor siŵr. Roedd o'n meddwl mai pinsiad o hwnnw a dwy lwyaid o un o'r lleill a gymerodd. Beth bynnag, roedd o'n fodlon rhoi cynnig ar awgrym Mr. Watcyn.

Toc, roedd dwy deisen gig yn ffrio yn y badell. Roedd aroglau da arnyn nhw, ond pan gymerodd Siôn a Mr. Watcyn damaid i'w brofi, doedd o mo'r un blas ag o'r blaen. Braidd yn siomedig oedden nhw wrth orfod rhoi cynnig arall arni.

Y tro hwn, dim ond pinsiad o'r sbeis cyntaf a gymerodd Siôn a mymryn mwy o'r lleill; ond doedd y blas ddim yn iawn wedyn chwaith.

'Un cynnig arall,' meddai Siôn. Ond ni lwyddodd i ail-greu'r blas hynod.

Ysgydwodd Mr. Watcyn ei ben.

'Mae hi'n rhy hwyr rŵan,' meddai. 'Rhaid i ni roi cynnig arall rywbryd eto.'

Ni allai Siôn anghofio'r hambyr-gyrs hynod hynny. Y noson honno breuddwydiodd ei fod wedi'u gwneud nhw eto, ac yn wir gallai glywed y blas da yn ei geg hefyd. Yn anffodus, doedd dim byd yn y freuddwyd i'w atgoffa o'r union fesur o sbeis, ac felly roedd y dirgelwch yn parhau.

Gwnâi Siôn ei orau glas i gofio'r rysáit. Yn ei feddwl gwelai'r tuniau dal sbeis. Roedd un yn wyrdd a llun bychan o goeden arno. Un arall yn frown ac wedi bod yn dal bisgedi ryw dro. A'r trydydd yn ddu a heb lun na gair arno.

Cofiodd Siôn iddo gydio yn y tun gwyrdd a'i ddal wrth ei drwyn i synhwyro'r sbeis. Yna, cofiodd iddo ei

roi ar y bwrdd ac agor tun arall. Y cwestiwn oedd—p'un ai'r un brown, sef yr hen dun bisgedi, ynteu'r un du oedd hwnnw.

'Rydw i'n credu,' meddai Siôn wrtho'i hun, 'mai'r un brown oedd o.'

Erbyn hyn, roedd Siôn yn ffyddiog fod y cyfan yn dechrau dod yn ôl iddo.

'Mi gydiais yn y tun brown,' meddai dan sibrwd, 'ac yna mi rois i o i lawr wrth ymyl yr un . . .' Petrusodd. 'Do, mi rois i o i lawr wrth ymyl yr un du. Ac yna, mi gymerais i un pinsiad bach o'r un du!' Roedd Siôn yn cynhyrfu. Dyna fo wedi cofio un ffaith bwysig. Dim ond y mymryn lleiaf o gynnwys y tun du oedd yn yr hambyrgyrs rhyfeddol hynny.

'Rŵan,' meddai Siôn, 'y peth nesaf wnes i oedd gafael mewn llwy.' Llifodd y cyfan yn ôl i'w gof ac roedd ganddo ddarlun clir o'r hyn a ddigwyddodd. Oedd, roedd o ar fin llwyddo!

'Mi afaelais i mewn llwy a chymryd llwyaid o'r . . . tun gwyrdd!'

Rhoddodd Siôn floedd o lawenydd. Roedd o wedi cofio'r manylion yn gywir. Gan ddal i fwmian siarad wrtho'i hun, daeth o hyd i bapur a phensil ac ysgrifennu'r rysáit. Yna, heb wastraffu eiliad, rhuthrodd i dŷ Mr. Watcyn yn ysu am ddweud y cyfan wrtho.

Roedd Mr. Watcyn mor gynhyrfus â Siôn pan glywodd ei fod wedi cofio popeth. Cymysgodd Siôn y cig a'r nionod ac yna, o dan lygaid barcud Mr. Watcyn, fe gymerodd binsiad o sbeis o'r tun brown a phinsiad o'r tun du. Wedi agor caead y tun gwyrdd a'r llun coeden arno, cododd lwyaid o'r sbeis. Cymysgodd bopeth yn drylwyr, ac wedi iddo ffurfio'r teisennau cig fflat, gwyliodd y ddau nhw'n ffrio yn y badell. Pan oedden nhw'n barod, cododd Siôn nhw a'u rhoi rhwng tafelli o fara ac estyn un i Mr. Watcyn. Roedd y ddau yn bur ofnus wrth feddwl am roi eu dannedd ynddyn nhw.

Siôn oedd y cyntaf i gymryd tamaid a'r eiliad y plannodd ei ddannedd yn yr hambyrgyr fe wyddai ei fod wedi llwyddo. Dyma'r union flas. Roedd o'n flas mor hynod fel nad oedd modd ei gamgymryd.

Cytunai Mr. Watcyn.

'Rwyt ti wedi llwyddo, Siôn!' gwaeddodd yn llawen. 'Dyma'r ham-byrgyr berffaith!'

Roedd Siôn, wrth gwrs, wrth ei fodd am ei fod wedi cofio'r rysáit. Roedd o wedi bod yn pryderu na châi o byth y gymysgedd yn iawn, ond erbyn hyn doedd dim amheuaeth yn ei feddwl. Roedd y rysáit ganddo—y manylion i gyd—i wneud yr hambyrgyr orau yn y byd—yr hambyrgyr berffaith.

Wedi iddyn nhw orffen bwyta, aeth Siôn draw at y tuniau sbeis a chraffu arnyn nhw.

'Ymhle cawsoch chi'r rhain?' gofyn-nodd i Mr. Watcyn.

Gwenodd yr hen ŵr.

'O, maen nhw wedi bod yma bron o'r dechrau, pan agorais i'r lle. Fyddwn i byth braidd yn eu defnyddio nhw.'

'Beth ydi enwau'r llysiau blas a'r sbeisys?' gofynnodd Siôn.

Aeth Mr. Watcyn i eistedd yn ei ymyl wrth y bwrdd. Cydiodd yn y tun du. Cododd y caead ac aroglodd y cynnwys.

'Saets sy'n hwn, beth bynnag. Mae o ar werth mewn unrhyw archfarchnad.'

Wedi tynnu caead y tun brown, craffodd ar y cynnwys a dodi blaen ei drwyn wrth geg y tun.

'A rhosmari ydi hwnna. Ie'n bendant.'

'Ymhle cewch chi hwnna?' gofynnodd Siôn.

'Unrhyw siop groser,' atebodd Mr. Watcyn gan afael yn y trydydd tun, yr un gwyrdd a llun coeden arno.

Wedi craffu ac arogli am sbel,

ysgydwodd ei ben. Yna daliodd y tun
ar ei ochr a thywallt mymryn bach
o'r cynnwys ar gledr ei law. Craffodd
arno'n fanwl gan fwmian rhywbeth
dan ei wynt.

'Beth ydi o?' gofynnodd Siôn yn
wyllt. 'Beth ydi'i enw fo?'

Ysgwyd ei ben a wnaeth Mr.
Watcyn.

'Alla i ddim cofio yn fy myw. Does gen i ddim syniad chwaith ymhle y prynais i o.'

Dychrynodd Siôn braidd wrth glywed hyn.

'Oes yna eiriau o gwbl ar y tun?' gofynnodd. 'Mi fyddai hynny yn rhoi rhyw fath o gliw i ni.'

'Dim byd o gwbl,' meddai Mr. Watcyn. 'Dim ond llun coeden.'

'Ond rydych chi'n siŵr o allu cofio ymhle ddaru chi ei brynu o,' meddai Siôn yn daer.

Roedd Mr. Watcyn mewn coblyn o benbleth.

'Mae'n ddrwg gen i, 'machgen i,' meddai mewn llais bach trist. 'Pan ddaw rhywun i f'oed i dydi'r cof ddim cystal ag y bu o. Waeth befo.'

Doedd Siôn ddim am ildio.

'Os na wyddom ni beth ydi o, sut y gallwn ni gael gafael ar ragor ohono fo? Dim ond digon ar gyfer ychydig o hambyrgyrs sydd ar ôl yn y tun.'

'Ie, mi wn i,' meddai'n dawel.

Am ei fod ef ei hun wedi llwyddo i gofio'r rysáit drwy adael i'w feddwl grwydro, meddyliodd Siôn y gallai Mr. Watcyn wneud yr un fath.

'Erbyn yr adeg yma fory efallai y bydd o wedi cofio,' meddai wrtho'i hun.

Ond doedd Mr. Watcyn ddim nes i'r lan drannoeth, na drennydd chwaith.

'Mae o wedi mynd,' meddai'n drist. 'Mae'r cyfan wedi mynd. Does gen i ddim syniad ymhle y cefais i afael ar y sbeis yna.'

Roedd Siôn yn benderfynol o ddal ati er gwaethaf hyn. Hwyrach y gallen nhw ddod o hyd i'r wybodaeth mewn rhyw ffordd arall. Bu'n pendroni am sbel ac yna meddai,

'Pwy ydych chi'n 'i adnabod sy'n gwybod mwy am sbeisys a llysiau blas na neb arall?'

Crafodd Mr. Watcyn ei ben am eiliad.

'Wel,' meddai, 'mi fyddwn i'n dweud mai Casaroli ydi'r un sy'n gwybod mwy na neb am bethau felly.'

'Casaroli?' gofynnodd Siôn. 'Pwy ydi hwnnw?'

Gwenodd Mr. Watcyn.

'Eidalwr ydi Casaroli a'r cogydd gorau yn y wlad. Mae o'n gweithio yng Ngwesty'r Eryr, ac mae pobl yn heidio yno o bell i brofi'r seigiau blasus mae o'n 'u paratoi. Mae o'n ddyn enwog iawn.'

'Ydych chi'n ei adnabod o?' gofynnodd Siôn. 'Allwn ni fynd i'w weld o?'

Edrychodd Mr. Watcyn yn amheus.

'Dydw i erioed wedi'i gyfarfod o,' meddai. 'Ond does yna ddim byd yn ein rhwystro ni rhag mynd i'w weld o. Wedi'r cwbl, mi allwn ni'n dau siarad ei iaith o.'

'Eidaleg? O, na fedraf, wir. Dydw i ddim yn gwybod yr un gair,' meddai Siôn.

'Na. Nid Eidaleg roeddwn i'n feddwl ond iaith coginio siŵr iawn!' meddai Mr. Watcyn dan chwerthin.

PENNOD 4

Gwesty enfawr mewn tref ar lan y môr tua hanner can milltir i ffwrdd oedd Gwesty'r Eryr. Ar ôl cyrraedd yno a pharcio'r car o flaen y gwesty, cerddodd Siôn a Mr. Watcyn i gefn yr adeilad i chwilio am ddrws y gegin. Daeth porthor mewn lifrai crand atynt a gofyn yn ddrwgdybus beth oedd eu busnes yno.

'Rydym ni wedi dod i weld Mr. Casaroli,' meddai Mr. Watcyn wrtho. Dangosodd y porthor y ffordd iddyn nhw ar hyd coridor at ddrws a'r geiriau hyn arno: 'CEGIN. DIM MYNEDIAD.'

Wedi iddo sythu ei dei a tharo crib drwy'i wallt, rhoddodd Mr. Watcyn winc ar Siôn. Yna gwthiodd y drws yn agored ac aeth y ddau i mewn i'r gegin.

Ni welsai Siôn erioed gegin mor wych. Yn ymestyn o'u blaenau roedd yna lathenni ar lathenni o fyrddau a phoptai. Roedd tair neu bedair gwyntyll yn hongian o'r nenfwd fel adar anferthol ag adenydd swnllyd. Wrth chwyrnellu roedden nhw'n clirio'r

stêm a godai o ddwsinau o sosbenni. Yma a thraw, gwelent ddynion a merched mewn dillad gwynion o'u corun i'w sawdl yn sefyll uwchben padelli a bowlenni gloyw wrthi'n brysur yn paratoi bwyd. Golygfa ryfeddol, yn wir.

Wedi i'r ddau ddod i mewn, fe rodd-odd pob un o'r gweithwyr y gorau iddi a rhythu arnyn nhw. Doedd neb byth yn meiddio mynd i mewn i'r gegin heb ganiatâd. Yna, ymhen rhai eiliadau, curodd rhyw ddyn bach boliog ei ddwylo yn flin, a dyna bawb yn ôl at eu gwaith. Symudodd y dyn tew yn afrosgo tuag atynt a sefyll o'u blaenau yn herfeiddiol.

'Sut y meiddiwch chi ddod i mewn i 'nghegin i?' bloeddiodd yn gas. 'Allan â chi ar unwaith!' meddai dan guro'i ddwylo yn fygythiol. A throdd ymaith.

'Esgusodwch fi,' gwaeddodd Mr. Watcyn ar ôl y dyn, 'ond rydw i wedi dod o bell i weld Mr. Casaroli.'

Trodd y dyn ei ben yn araf.

'Fi ydi Casaroli,' meddai'n ddi-amynedd. 'Beth sydd arnoch ei eisiau?'

Synnwyd Siôn a Mr. Watcyn gan hyn. Doedd hwn ddim yn edrych yn

debyg i gogydd byd-enwog. Roedd o'n edrych mor gyffredin. Ond fe lwyddodd y ddau i guddio eu syndod. Eglurodd Mr. Watcyn eu neges.

'Rydym ni wedi clywed,' meddai braidd yn nerfus, 'nad oes neb yn gwybod mwy am lysiau blas a sbeisys na chi.'

Wrth i Mr. Watcyn ddweud y geiriau hyn newidiodd Casaroli yn llwyr. Ciliodd y dicter a daeth cysgod gwên ar ei wefusau.

'Digon gwir,' meddai'n foesgar. Aeth Mr. Watcyn yn ei flaen.

'Ac roeddem ni'n meddwl tybed a allech chi adnabod rhyw sbeis arbennig i ni. Dyma fo.'

Estynnodd Siôn y tun gwyrdd tuag ato.

'Gadewch i mi weld,' meddai Casaroli yn wyllt gan gythru am y tun o law Siôn. 'Does dim byd haws,' meddai.

Agorodd y prif gogydd y caead a gwthiodd ei drwyn bach smwt i mewn i'r tun er mwyn arogli'r sbeis. Tasg nid mor hawdd wedi'r cwbl. Crychodd ei dalcen a'i drwyn. Cymerodd binsiad o'r sbeis a chraffu arno. Yna, gan fwmian rhywbeth wrtho'i hun mewn Eidaleg, rhoddodd fymryn ar ei dafod er mwyn clywed ei flas.

'Mmmmm,' meddai'n feddylgar.

'Ydych chi'n ei adnabod?' gofynnodd Mr. Watcyn yn llon.

Edrychai Casaroli yn anghysurus.

'Nac ydw,' meddai'n swta. 'Rhyw sbeis prin iawn ydi hwn.'

'Ond, syr,' ymbiliodd Mr. Watcyn arno. 'Rhaid eich bod wedi'i brofi yn rhywle o'r blaen.'

Ysgydwodd Casaroli ei ben yn drist.

'Mae'n ddrwg gen i,' meddai. 'Ond dydi Casaroli ei hun erioed wedi profi'r sbeis hwn o'r blaen.'

Rhaid bod Mr. Watcyn a Siôn yn edrych yn hynod o siomedig wrth

glywed hyn, gymaint felly nes i'r prif
gogydd anghofio ei falchder.

'Mae yna un ffordd arall y gallaf
eich helpu,' meddai'n dawel. 'Yn y
gwesty hwn ar hyn o bryd mae un o
arbenigwyr gorau'r byd ar fwydydd.
Mae'n gwybod popeth sydd i'w wybod
am fwyd. Mi ofynnwn ni iddo fo.'

'Diolch yn fawr,' meddai Mr. Watcyn. 'Mae hi'n bwysig iawn ein bod ni'n dod o hyd i ragor o'r sbeis yma.' Ni feiddiai Mr. Watcyn grybwyll hambyrgyrs am ei fod yn tybio y byddai'r rheini islaw sylw rhywun fel Casaroli. Go brin y byddai prif gogydd fel fo wedi *gweld* hambyrgyr heb sôn am fwyta un.

Gadawodd y tri, Casaroli, Siôn a Mr. Watcyn y gegin a mynd i'r neuadd fwyta. Gwelent yno fyrddau di-ri ac arnynt lieiniau claerwyn a chyllyll, ffyrc a llwyau arian. Yng nghanol yr ystafell fe hongiai siandelîer o'r nenfwd ac arno fyrdd o oleuadau bach yn disgleirio.

Wrth i Casaroli ddod i mewn edrychodd llawer o'r bobl oedd wrth eu cinio arno. Yna, cododd amryw ohonynt ar eu traed a churo dwylo er mwyn dangos eu bod yn mwynhau'r bwyd. Moesymgrymodd yntau iddynt a chodi'i law arnynt. Wedyn, fe anelodd Casaroli a'r ddau arall at fwrdd mewn congl lle roedd dyn tal mewn siwt ddu yn ciniawa gyda merch a wisgai emau gwerthfawr am ei gwddw.

Wrth i'r arbenigwr bwyd weld Casaroli yn nesáu, fe gododd ar ei draed a moesymgrymu iddo. Yna, edrychodd mewn penbleth ar Mr. Watcyn a Siôn a nodio'i ben. Cyflwynodd Casaroli y ddau i'r dyn a'r ferch. Mr. Cadwaladr oedd ei enw fo a Miss Llywelyn oedd hi.

'Rydym ni wedi dod i ofyn eich cyngor,' meddai Casaroli mewn llais pwysig.

Gwenodd Mr. Cadwaladr yn wylaidd.

'Ond Mr. Casaroli pwy ydw *i* i roi cyngor i *chi*?'

Gwnaeth Casaroli wyneb trist a dweud, 'Rydw i wedi methu'r tro hwn, beth bynnag, er cymaint fy ngwybodaeth. A dydw i ddim yn rhy falch i ofyn barn rhywun arall.'

Gwrandawodd Mr. Cadwaladr yn ofalus ar ei neges. Yna cysidrodd yr hyn a ddywedodd Casaroli wrtho ynghylch dirgelwch y sbeis. Wedyn, dyma fo'n cymryd y tun, ei agor a chraffu'n fanwl ar y cynnwys. Gan wthio llaw wen fain i mewn i'r tun, cymerodd binsiad o'r sbeis a'i roi ar y lliain bwrdd. Estynnodd wydr crwn o boced ei gôt a'i osod wrth un llygad.

Gwyliodd Siôn Mr. Cadwaladr yn craffu ar y sbeis. Ymhen rhyw funud,

rhoddodd Mr. Cadwaladr y gwydr crwn yn ôl yn ei boced a chododd fymryn o'r sbeis ar lwy arian fechan. Yna, caeodd ei lygaid a dodi'r llwy yn ei geg. Agorodd Mr. Cadwaladr ei lygaid a thynnu'r llwy o'i geg yn dyner.

'Rydw i'n credu,' meddai, 'y galla i eich helpu chi.'

Roedd Siôn yn sicr fod pob enaid byw yn y neuadd fwyta wedi clywed yr ochenaid o ryddhad a ddaeth o enau Mr. Watcyn. Cododd Mr. Cadwaladr ei law rhag iddyn nhw dybio fod y dirgelwch wedi'i ddatrys yn llwyr.

'Dydw i ddim yn hollol siŵr,' meddai, 'a dweud y gwir, mae arna i ofn na wn i enw'r sbeis arbennig hwn.'

Wrth gwrs, roedd pawb yn siomedig ac roedd Casaroli ar fin dweud rhywbeth pan aeth Mr. Cadwaladr yn ei flaen.

'Fel y gwyddoch chi, Mr. Casaroli,'

meddai, 'rydw i wedi bwyta bwydydd
gwahanol ym mhob rhan o'r byd.
Rydw i wedi ciniawa yn Ffrainc, yn
yr Eidal, mewn tai bwyta ar bennau
mynyddoedd ac ar lannau moroedd.
Rydw i wedi cael bwyd yng Ngwlad

Pwyl ac yng Ngwlad Groeg. Rydw i wedi profi bwydydd Awstralia, Affrica ac America.'

Roedd Siôn yn synnu'n arw wrth glywed hyn oll. Doedd o erioed o'r blaen wedi clywed neb yn siarad â chymaint o awdurdod.

Aeth yn ei flaen yn ddramatig.

'Rydw i wedi profi seigiau anghyffredin iawn—nadroedd mewn saws yn Hong Kong, morgrug yn Tsieina a chant a mil o bethau blasus eraill. Ond rydw i'n crwydro rŵan. Yn ôl at y mater dan sylw, gyfeillion.'

Roedd Siôn yn ofni anadlu bron rhag cynhyrfu dim ar yr arbenigwr bwyd hynod hwn. Fyddai o'n medru datrys y dirgelwch tybed?

'Rydw i *wedi* profi'r blas yma o'r blaen,' meddai Mr. Cadwaladr gan bwyntio at y tun gwyrdd. 'Mae llawer blwyddyn er hynny a dydw i ddim wedi'i brofi yn unlle yn y cyfamser.'

'Ellwch chi gofio ymhle y bu

hynny?' gofynnodd Mr. Watcyn yn daer. 'Ceisiwch, da chi.'

Gostyngodd Mr. Cadwaladr ei lais fel y bydd pobl ar fin dweud cyfrinach.

'Mae arna i gywilydd,' sibrydodd.

Plygodd Casaroli ymlaen tuag ato ac ymbil arno.

'Mi ellwch chi ddweud wrthym ni. Wnawn ni ddim dweud wrth neb arall, ar fy llw.'

Petrusodd Mr. Cadwaladr.

'Yr esgus oedd fy mod i bron â llwgu. Doeddwn i ddim wedi cael tamaid o fwyd ers wyth awr. Oni bai am hynny, fyddwn i ddim wedi breuddwydio mynd yno.'

'Mynd i ble felly?' gofynnodd Casaroli yn daer.

Estynnodd Mr. Cadwaladr hances sidan o boced ei gôt a sychu ei dalcen.

'Roedd hi'n hwyr iawn y nos,' meddai. 'Doedd yna unman arall yn agored. Roeddwn i'n teithio drwy ryw dref a beth welais i ond tŷ bwyta bach

yn gwerthu hambyrgyrs. Maddeu-
wch i mi am hyn. Mae llawer blwydd-
yn wedi mynd heibio ers hynny,
cofiwch. Mi es i mewn i'r tŷ bwyta
bach hwnnw i nôl hambyrgyr.'

'Hambyrgyr!' ebychodd Casaroli
mewn syndod. 'Mi wnaethoch chi
fwyta hambyrgyr?'

'Wna i byth eto. Na wnaf, wir,'
meddai Mr. Cadwaladr, yn amlwg yn

46

difaru iddo gyfaddef o gwbl. 'Ond rhaid i mi ddweud un peth. Roedd hi'n hambyrgyr hynod o dda. Alla i ddim cofio enw'r lle, ond roedd o'n rhywbeth tebyg i Hopcyn neu Siencyn, rhyw enw fel yna . . . Watcyn! Ie, dyna'r enw. Watcyn!'

PENNOD 5

'Dyna ni'n ôl yn union lle ddaru ni gychwyn,' meddai Mr. Watcyn wrth Siôn wrth yrru'r car am adref. 'Dydym ni ddim gronyn callach.'

Meddyliodd Siôn am y peth am dipyn. Cyd-ddigwyddiad rhyfedd iawn oedd hi i Mr. Cadwaladr, yr arbenigwr mawr ei hun, alw yn nhŷ bwyta Mr. Watcyn ryw noswaith flynyddoedd maith yn ôl. A chyd-ddigwyddiad arall oedd i Mr. Watcyn yr union noson honno roi pinsiad o sbeis y tun gwyrdd yn yr hambyrgyr.

'Fyddwn i byth braidd yn defnyddio'r stwff,' meddai Mr. Watcyn. 'Rhaid fod fy meddwl i ar rywbeth arall ar y pryd!'

Wrth gwrs, roedd Mr. Watcyn yn hollol gywir wrth ddweud nad oedden nhw ddim gronyn callach. Roedd prif gogydd Gwesty'r Eryr ac arbenigwr

bwyd byd-enwog wedi methu adnab-
od y sbeis. Sôn am siom!

Yn ystod yr wythnosau wedyn ni
ddigwyddodd fawr ddim o bwys yn
nhŷ bwyta Mr. Watcyn. Yna, ryw
noswaith pan alwodd Siôn heibio i

beintio'r silffoedd, fe gafodd newydd drwg gan Mr. Watcyn.

'Dydw i ddim yn teimlo fel gweithio heno, 'machgen i,' meddai'r hen ŵr yn ddigalon.

Roedd Siôn yn synnu wrth glywed hyn.

'Ond roeddem ni'n mynd i beintio'r silffoedd acw,' meddai wrtho. 'Mi allwn ni ddechrau heno, beth bynnag.'

Eisteddodd Mr. Watcyn. Roedd o'n edrych yn hen iawn ac yn drist.

'Gwranda di arna i, Siôn,' meddai. 'Allwn ni ddim dal ati. Rydw i mewn dyled. Mae arna i arian mawr i'r banc. Does dim elw yn y busnes ac rydw i wedi cael rhybudd fod yn rhaid i mi glirio'r ddyled yn ystod y tair wythnos nesaf neu fe fydd hi ar ben arna i.'

'Beth ydi'r brys yn y banc? Pam fod eisiau'r arian yn ôl rŵan?' gofynnodd Siôn.

Edrychodd Mr. Watcyn arno. 'Rydw

i'n credu fy mod i'n gwybod y rheswm,' meddai'n dawel. 'Un o gwsmeriaid mwyaf y banc ydi Hambyrgyrs Huws. Mae rheolwr y lle hwnnw a rheolwr y banc yn ffrindiau mawr. Oes raid i mi ddweud rhagor?'

Teimlai Siôn yn gynddeiriog wrth glywed hyn. Roedd ei du mewn yn corddi gan ddicter. Roedd gelynion Mr. Watcyn yn benderfynol o'i orfodi i gau'r tŷ bwyta doed a ddelo.

Edrychodd Siôn ar yr hen ŵr. Roedd yr ewyllys i ymladd wedi diflannu'n llwyr. 'Os oes rhywun yn mynd i achub y busnes yma, y fi fydd hwnnw,' meddai Siôn wrtho'i hun.

Y noson honno, pan oedd yn gorwedd yn ei wely, meddyliodd Siôn beth allai ef ei wneud. Ar y dechrau, edrychai popeth yn ddu iawn. Er mwyn talu i'r banc roedd yn rhaid i Mr. Watcyn gael arian a doedd ganddo'r un geiniog wrth gefn. Oni bai ei fod o'n cael gafael ar arian o hyn i ben tair wythnos, fe fyddai'n rhaid iddo werthu'r tŷ bwyta. Os oedd Siôn yn benderfynol o achub y busnes, fe fyddai'n rhaid iddo ddod o hyd i rywun a fyddai'n fodlon rhoi arian i Mr. Watcyn. Gan nad oedd Siôn na Mr. Watcyn yn adnabod neb cyfoethog, eu hunig obaith oedd darganfod enw'r sbeis rhyfedd yn y tun gwyrdd.

Dim ond cael rhagor o'r sbeis yna oedd eisiau ac fe allen nhw eu dau wneud hambyrgyrs a fyddai'n destun siarad yr holl wlad. Ni fyddai neb wedyn yn mynd i dŷ bwyta Hambyrgyrs Huws ar ôl profi hambyrgyrs enwog Watcyn.

'Y blas sy'n cyfri,' meddai Siôn wrtho'i hun, 'ond heb sbeis, heb flas.'

Rhaid fod rhywun yn rhywle yn gwybod enw'r sbeis. Gwyddai Siôn fod Mr. Watcyn wedi prynu'r sbeis yn rhywle, ac felly roedd rhyw siopwr yn siŵr o fod yn gwybod yr enw. Os oedd y tun gwyrdd wedi bod yno ers cantoedd, fe fyddai'r siopwr hwnnw yn hen ŵr erbyn hyn. 'Rhaid i mi ddod o hyd iddo fo,' meddai Siôn.

Mor eiddgar ag unrhyw dditectif yn dilyn trywydd, fe aeth Siôn i chwilio am gyfeiriadur teleffon y dref. Gwnaeth restr o'r holl siopau groser. Roedd yna ugain ohonynt i gyd gan gynnwys yr archfarchnadoedd. Croesodd enwau'r rheini ymaith achos doedden nhw ddim yn bod pan brynwyd y tun sbeis. Roedd un ar ddeg siop ar ôl. Aeth Siôn i ymweld â phob un o'r rhain gan ddangos y tun gwyrdd a llun coeden arno i bob siopwr.

Roedd dau neu dri o'r siopwyr hynaf yn cofio gweld tuniau tebyg ryw dro, ond doedden nhw ddim yn cofio rhagor. Yna, mewn siop fach ar gwr y dref, fe gafodd Siôn y cliw cyntaf.

'Rydw i'n meddwl fy mod i'n cofio tun fel hwnna amser maith yn ôl,' meddai'r hen ŵr y tu ôl i'r cownter.

Ymbiliodd Siôn arno i geisio cofio ychwaneg.

'Ydych chi'n cofio ym mhle y cawsoch chi'r tun?' gofynnodd Siôn iddo.

'Nac ydw, mae arna i ofn. Rhy bell yn ôl, wyddoch chi.'

Cafodd y groser syniad.

'Arhoswch funud,' meddai. 'Mae gen i bentwr o hen gatalogau yn yr atig. Mi af i'w nôl nhw . . .' Ac i

ffwrdd â fo i fyny'r grisiau.

Toc, fe ddaeth i lawr a than ei fraich roedd hen gatalog trwchus blêr. Ynddo roedd lluniau esgidiau ac offer tŷ hen ffasiwn yr olwg. Fu'r hen ŵr ddim yn hir cyn cael hyd i'r adran fwydydd. Symudai ei fys yn frysiog ar hyd y tudalennau.

'Llysiau wedi'u sychu,' meddai wrtho'i hun. 'Picyls, sardîns, jeli, jam . . .' Tawelwch wedyn. 'Sbeis. Dyma nhw'r sbeisys.'

Craffodd Siôn ar y catalog. Roedd rhes ar res o rifau ar y tudalen, ond rhwng y rhifau roedd yna luniau bychain o wahanol botiau a thuniau. Wedi syllu'n fanwl ar bob llun, dyna'r groser yn dweud, 'Dyma fo! Mi wyddwn ei fod o yma yn rhywle.'

Roedd Siôn mor falch fel y bu ond y dim iddo lamu i ben y cownter.

'Ble mae o?' gofynnodd. 'Dangoswch o i mi.'

'Wel,' meddai'r groser, 'dyma lun y tun i ti. Mae o'r un ffunud, beth bynnag.'

Edrychodd Siôn ar y llun bychan llwydaidd. Oedd, roedd o'r un ffunud â'r tun gwyrdd o ran siâp ac roedd llun coeden arno hefyd. O dan y llun, mewn print bychan bach, roedd y geiriau:

'Cymysgedd Mrs. Bowen.

Y blas sy'n cyfri.'

'Beth ar y ddaear ydi ystyr hyn?' gofynnodd Siôn. 'A phwy ydi Mrs. Bowen?'

Am rai eiliadau roedd y groser yn fud ac, yn amlwg, mewn penbleth. Yna'n raddol ac yn bendant, fe ymledodd gwên dros ei wyneb.

'Debyg iawn!' meddai. 'Debyg iawn, wir.'

Roedd Siôn yn ysu am gael gwybod beth yn union oedd yn dod yn ôl i gof y groser. Yr un pryd, roedd arno ofn ei ffwndro ac i'r atgofion gilio unwaith eto.

'Wel, wel,' meddai'r hen ŵr yn syn.

'Ond pwy *ydi'r* Mrs. Bowen yma?' gofynnodd Siôn eto.

'Mrs. Bowen? Roedd hi'n gogyddes enwog iawn yn ei dydd. Hi oedd yr orau yn y wlad am gymysgu sbeisys, ac yma yn y dref hon yr oedd hi'n byw.'

Wrth glywed y newydd hwn, llam-
odd calon Siôn. Y cyfan roedd yn
rhaid iddo ei wneud yn awr oedd dod
o hyd i Mrs. Bowen, a byddai hel-
bulon Mr. Watcyn ar ben.

'Ymhle mae hi'n byw?' gofynnodd
Siôn.

'Yn byw, ddywedaist ti? Mae hi

wedi marw, 'machgen i, ers amser maith.'

Teimlodd Siôn siom fel gwayw trwy'i galon.

'Roedd wyres yr hen Mrs. Bowen yn byw yn y dref 'ma tan yn ddiweddar, ac roedd hi'n ffrindia' garw hefo Mrs. Griffiths, un o'm cwsmeriaid ffyddlon i . . . Aros eiliad, mi ffonia i Mrs. Griffiths. Bydd hi'n siŵr o wybod ble mae Miss Bowen yn byw rŵan. Mi symudodd hi o'r hen gartre yn fuan ar ôl i'w mam farw. Mae hi'n ddigon tebyg i'w nain o ran ei golwg, meddan nhw, ond na fedar hi ddim dweud y gwahaniaeth rhwng y naill sbeis a'r llall!'

Doedd hynny ddim o bwys i Siôn. O leiaf roedd o ar y trywydd iawn o'r diwedd. Cyn hir dychwelodd yr hen siopwr o'r cefn gan ddal darn o bapur a chyfeiriad Miss Bowen arno fo. Yn ôl Mrs. Griffiths roedd Miss Bowen yn byw mewn fflat yng Nghaer Iolyn —tref rhyw ddeuddeng milltir i ffwrdd. Diolchodd Siôn iddo am ei help a brysiodd i dŷ Mr. Watcyn i ddweud yr hanes wrtho.

Pan gyrhaeddodd Siôn, dyna lle roedd Mr. Watcyn yn drist wrthi'n clirio a phacio. Wrth glywed yr hanes rhoddodd yr hen ŵr y gorau i'r pacio a dod i eistedd yn ymyl Siôn.

'Dim ond i ni gael rhagor o'r sbeis yna,' eglurodd Siôn yn eiddgar, 'mi fedrwn ni werthu hambyrgyrs a fydd yn gwneud i hambyrgyrs Cwmni Huws yna flasu fel cardbord gwlyb. Yma y daw pawb wedyn, mi gewch chi weld.'

Gloywodd llygaid Mr. Watcyn. Fe fyddai'n braf cael busnes llewyrchus unwaith eto.

'Mi allwn ni wneud y lle yn fwy wedyn. Ac mi bryna i offer newydd sbon.'

Roedd Siôn wrth ei fodd am fod ei hen ffrind yn llawen eto. Anogodd Mr. Watcyn i roi hysbyseb yn y papur ar unwaith.

'Mi rown ni hysbyseb yn y papur newydd,' meddai Siôn.

'Ydych chi wedi clywed amdan-yn nhw?

Ydych chi wedi'u profi nhw?

Ar fin dod—hambyrgyrs Watcyn, Hambyrgyrs hen ffasiwn.

Rhai go iawn ydi rhai Watcyn!'

Nodiodd Mr. Watcyn ei ben.

'Rwyt ti'n iawn, Siôn,' meddai. 'Mae hwnna'n swnio'n dda, 'mach-gen i. Mae llawer o bobl yn credu fod gwell blas ar fwyd ers talwm, wyddost ti. Mi ddangoswn ni iddyn nhw fod hynny'n wir!'

Penderfynodd y ddau y dylid cael llun o Mr. Watcyn yn sefyll uwchben padell ffrio a honno'n cynnwys ham-byrgyr. O dan y llun, mewn llythren-nau hen ffasiwn fe fyddai hyn:

'Y blas sy'n cyfri! Dowch i brofi hambyrgyr orau'r byd. Ni chewch eich siomi.'

Roedd Siôn a Mr. Watcyn mor hapus ynghylch eu cynlluniau nes iddyn nhw benderfynu mai'r ffordd orau i ddathlu oedd bwyta hambyrgyr hen ffasiwn. Siôn a baratôdd y gymysgedd, ac wrth wneud hynny, fe ddefnyddiodd y gronyn olaf o sbeis oedd ar ôl yng ngwaelod y tun gwyrdd.

PENNOD 6

Ymhen pum niwrnod, ymddangos-
odd llun Mr. Watcyn a'r hysbyseb am
yr hambyrgyrs hen ffasiwn ar ddalen
flaen y papur lleol.

'A finnau'n meddwl ei bod hi ar ben
ar yr hen Watcyn,' meddai rhywun
yng nghlyw Siôn.

'Dydw i ddim wedi bod ar gyfyl y lle
ers cantoedd,' meddai rhywun arall.

'Mae arna i flys mynd yno eto er
mwyn gweld ydi'r hysbyseb yma yn
dweud y gwir,' meddai un arall.

Roedd clywed pwt o sgwrs fel hyn
wrth fodd calon Siôn. Ond roedd
problem o hyd—doedden nhw ddim
wedi dod o hyd i'r sbeis i wneud
hambyrgyrs hen ffasiwn, blasus.
Roedd Siôn yn dechrau sylweddoli
(braidd yn hwyr, mae'n wir) y dylen
nhw fod wedi aros am dipyn eto cyn
hysbysebu yn y papur newydd. Beth
petaen nhw'n methu darganfod y

sbeis o gwbl? Fe fyddai pawb yn gwneud hwyl am ben Mr. Watcyn druan wedyn ac yn ei alw yn hen ffŵl gwirion.

Heb wastraffu rhagor o amser, cychwynnodd Siôn a Mr. Watcyn i chwilio am wyres Mrs. Bowen. Daethant at floc o fflatiau. Wedi mynd i mewn i'r cyntedd, gwelsant restr o enwau'r holl bobl oedd yn byw yn y fflatiau wrth y drws. Darllenodd Siôn yr enwau a sylwi ar un yn arbennig: MARI BOWEN a'r rhif 15 wrth ei ochr. I fyny'r grisiau â nhw a chanu cloch y drws a'r rhif 15 arno.

Agorwyd y drws gan ferch dal, denau.

'Go brin fod gan hon lawer o ddiddordeb mewn bwyd,' meddai Siôn wrtho'i hun.

'Ai chi ydi wyres Mrs. Bowen, y gogyddes enwog?' gofynnodd Mr. Watcyn.

'Ie,' atebodd y ferch. 'Beth alla i ei wneud i chi?'

Eglurodd Siôn eu neges wrthi ac am y pum munud nesaf fe siaradodd Mr. Watcyn fel melin gan bwysleisio mor bwysig oedd hi iddyn nhw ddod o hyd i sbeis arbennig ei nain.

Wedi iddyn nhw orffen siarad, ochneidiodd Mari Bowen ac ysgwyd ei phen.

'Mae'n ddrwg gen i eich siomi chi,' meddai yn llawn cydymdeimlad. 'Ar ôl i'm rhieni farw, bu'n rhaid i mi glirio popeth o'r tŷ cyn symud i'r fflat yma i fyw. Does gen i'r un o duniau sbeis Nain ar ôl. Fe aeth y lori sbwriel â phopeth.'

Daeth tristwch i lygaid Mr. Watcyn ac edrychodd tua'r llawr. Sylwodd Siôn ei fod yn edrych yr un fath yn union â'r diwrnod hwnnw pan soniodd am werthu'r busnes. Roedd ei ysgwyddau'n crymu, ei gorff yn llipa a'i wyneb yn llwyd.

'Os gwelwch chi'n dda,' meddai Siôn wrth Mari Bowen, 'wnewch chi feddwl o ddifri? Rydw i'n siŵr y medrwch chi gofio rhywbeth. Rydym ni'n dibynnu'n llwyr arnoch chi rŵan.'

Gwenodd Mari Bowen.

'Roeddwn i ar fin dweud fod yma rywbeth ar ôl. Mae rhai o hen lyfrau fy nain gen i o hyd. Rydw i wedi bwriadu mynd trwyddyn nhw'n ofalus lawer gwaith a byth wedi gwneud hynny. Maen nhw mewn cist yn f'ystafell wely.'

Roedd Mr. Watcyn yn dechrau sionci drwyddo.

'Mi fyddem ni'n hynod o ddiolchgar i chi petaech chi'n caniatáu i ni gael cipolwg ar yr hen lyfrau yna,' meddai'n gynhyrfus.

'Mi fyddem ni'n ofalus iawn rhag ofn i ddim byd ddigwydd iddyn nhw,' ychwanegodd Siôn.

Roedd y ddau ar eu pennau eu hunain am ychydig tra oedd Mari Bowen yn chwilio am lyfrau ei nain. Ni ddywedodd yr un o'r ddau air o'i ben. Toc, daeth y ferch yn ôl.

'Dyma chi,' meddai, gan estyn y llyfrau i Mr. Watcyn. 'Gyda lwc, mi ddowch o hyd i'r hyn rydych chi'n chwilio amdano.'

Roedd Siôn yn ysu cymaint am gael golwg ar y llyfrau nes iddo ddechrau bodio drwyddyn nhw yn y car ar y ffordd adref. Llyfrau ysgrifennu oedden nhw a phob tudalen yn llawn o lawysgrifen fain. Ryseitiau oedd y rhan fwyaf o'r cynnwys. Cymerwch ddau binsiad o hyn a thair llwyaid o'r llall; cymerwch ddau afal, eu plicio a'u torri; crafwch ddwy daten, ac yn y blaen.

'Mae yma gannoedd ar gannoedd o ryseitiau,' meddai Siôn braidd yn gwynfanllyd. 'Mi fyddwn ni am byth yn mynd trwyddyn nhw.'

'Dos â dy fys ar hyd y tudalen a chwilio am rysáit efo'r gair *sbeis* uwch ei ben,' awgrymodd Mr. Watcyn.

'Ond alla i ddim,' meddai Siôn yn brudd. 'Does yna'r un gair o gwbl uwch eu pennau nhw.'

Doedd yna ddim ond un peth amdani felly. Byddai'n rhaid iddyn nhw fynd drwy bob rysáit fesul un a dewis y rheini oedd yn edrych fel petaen nhw ar gyfer sbeisys. Wedyn, fe fyddai'n rhaid profi pob un rysáit yn ei dro.

'Biti na fuasai hi wedi rhoi pennawd uwch bob un o'r ryseitiau yma,' cwynodd Siôn wrth i Mr. Watcyn ac yntau fesur a phwyso'r gwahanol bethau ar gyfer y deugeinfed rysáit.

Yn boenus o araf, roedd y ddau yn dal i roi cynnig ar y gwahanol gyfarwyddiadau i roi blas ar fwydydd, ond heb lwc o gwbl. Wrth iddyn nhw baratoi'r defnyddiau ar gyfer y rysáit olaf un, roedd Siôn yn sobr o ddigalon. Doedd ganddo ddim amynedd erbyn hyn. Prin y credai Mr. Watcyn chwaith ei bod hi'n werth y drafferth iddo fo brofi'r gymysgedd olaf ar ei dafod.

'Anobeithiol eto, ie?' gofynnodd Siôn wrth i Mr. Watcyn roi blaen ei dafod yn y powdrach ar y llwy.

Am rai eiliadau nid ynganodd Mr. Watcyn air, ac yna, dim ond ysgwyd ei ben wnaeth o.

Cymerodd Siôn fymryn a'i roi ar

flaen ei dafod. Na. Nid hwnna oedd y sbeis. Gormod o bupur o'r hanner.

'Dyna ni, felly, Siôn,' meddai Mr. Watcyn yn flinedig. 'Dim ond un peth sydd ar ôl.'

'Beth ydi hwnnw?' gofynnodd Siôn mewn llais gwan, gan ofni clywed yr ateb.

'Rydw i am roi hysbyseb yn y papur newydd i ddweud y byddwn ni'n cau'r busnes yr wythnos nesaf. Fe fydd yn gyfle i mi ddiolch i'm hen gwsmeriaid hefyd.'

Edrychodd Mr. Watcyn o'i gwmpas ar yr hen badelli, yr hen stôf a'r hen stolion, ac allan â fo.

Eisteddai Siôn ar ei ben ei hun yn y gegin. Gwnaethai ei orau glas i helpu Mr. Watcyn, a'r cyfan yn ofer. Hambyrgyrs Huws oedd wedi cario'r dydd.

Am nad oedd ganddo ddim byd arall i'w wneud cydiodd Siôn yn un o lyfrau Mrs. Bowen, yr un yn cynnwys yr holl ryseitiau y buon nhw'n rhoi cynnig arnynt. Rhyfedd nad oedd rysáit y sbeis enwog yn eu plith. Edrychodd Siôn ar y clawr cefn. Roedd o'n fudr iawn am ei fod o wedi codi aml i staen oddi ar fwrdd y gegin. O dan y saim a'r baw roedd rhyw fath o lun. Craffodd Siôn arno a mynd yn nes at y ffenestr er mwyn ei weld yn well.

Am rai eiliadau ni feiddiai gredu ei lygaid. Oedd y fath beth yn bosib? Oedd, yn wir.

Roedd Siôn wedi gwirioni'n lân. O flaen ei lygaid, ar glawr budr y llyfr, roedd llun coeden. Yr un goeden yn union oedd hon â'r un ar y tun sbeis. O dan y llun, roedd rhestr o wahanol bethau. O'r diwedd, fe gafwyd y rysáit ar gyfer sbeis Mrs. Bowen.

Wrth i Mr. Watcyn roi'r hysbyseb i'r clerc y tu ôl i'r cownter yn swyddfa'r papur newydd, fe ganodd y teleffon.

'Ydi,' meddai'r clerc. 'Mae o yma. 'Rhoswch eiliad.'

Synnodd Mr. Watcyn glywed llais Siôn ar ben arall y lein. Yn hollol dawel, gwrandawodd ar ei neges ac yna rhoddodd y derbynnydd yn ôl i'r clerc.

'Mae arna i eisiau newid yr hysbys-eb ar unwaith,' meddai'n llawen. 'Dyma'r neges.

"Dim ond heddiw tan yfory, pryd y bydd hambyrgyrs hen ffasiwn Watcyn ar werth. Cofiwch mai'r blas sy'n cyfri.""

Ysgrifennodd y clerc y geiriau a brysiodd Mr. Watcyn adref nerth ei draed.

Oriau cyn i'r tŷ bwyta agor ei ddrws i'r cyhoedd unwaith eto, roedd cynffon hir o bobl yn disgwyl y tu allan. Ni fu Mr. Watcyn a Siôn erioed mor brysur. Cytunai pob un oedd wedi profi hambyrgyr eu bod wedi cael gwledd. Prynodd rhai cwsmeriaid ddwy hambyrgyr ac ambell un go farus dair!

Fe anfonodd y papur newydd ohebydd i holi cwsmeriaid Mr. Watcyn, ac roedd pawb yn canmol yr hambyrgyrs i'r cymylau.

'Sut fyddech chi'n disgrifio'r blas?' gofynnodd y gohebydd i gwsmer bodlon.

'Mi faswn i'n dweud . . . Wel, be ddweda i? Blas gwahanol i'r hyn gewch chi yn y llefydd mawr. Blas hen ffasiwn, yntê?'

Roedd Siôn wrth ei fodd. Buan iawn y gallodd Mr. Watcyn fforddio prynu offer newydd sbon i'w gegin: stôf enfawr a phadelli gloyw. Cafodd beintio'r waliau hefyd a thalu am stolion cyffyrddus.

Doedd neb yn mynd i dŷ bwyta Hambyrgyrs Huws bellach ac roedd yr adeilad mawr yn wag ddydd a nos.

Y peth a roddodd fwyaf o bleser i Siôn a Mr. Watcyn oedd ymweliad tri o bobl arbennig â'r tŷ bwyta ryw fin nos. Roedd y ddau yn wên o glust i glust pan welsant pwy oedd eu cwsmeriaid. Allan o glamp o gar du fe gamodd Casaroli, Mr. Cadwaladr a Miss Llywelyn. Archebodd y tri hambyrgyr bob un. Yna, wedi gorffen bwyta, aethant drwodd i'r gegin at Mr. Watcyn.

'Mae gen i anrheg fach i chi,' meddai Casaroli. 'Dyma hi.'

Gwthiodd Mr. Watcyn Siôn ymlaen i dderbyn yr anrheg gan y cogydd byd-enwog. Llwy arian hardd oedd hi, ac arni'r geiriau:

I'r ddau orau yn y byd am wneud hambyrgyr, gan Casaroli.

Roedd hyn wedi cyffwrdd calon yr hen Mr. Watcyn a bu'n rhaid iddo estyn ei gadach poced i sychu'r dagrau.

'Sut alla i ddiolch i chi?' meddai dan deimlad.

'Does dim byd haws,' meddai Casaroli. 'Gwnewch hambyrgyr arall i mi ar unwaith!'